발레리나는 우아함과 강인함의 상징입니다.
그녀들의 무대는 마치 꿈의 세계를 펼쳐놓은 듯하며,
매혹적인 동작과 표정으로 관객들을 사로잡습니다.
이 책은 그 아름다운 예술을 시각적으로 기록한 일러스트북입니다.
발레리나들이 빚어내는 환상적인 순간들을
생생하게 담아내고자 했습니다.

발레는 단순한 춤 이상의 의미를 지닙니다.
그것은 기교와 표현이 결합된 예술 형태이며,
엄격한 훈련과 끝없는 헌신이 요구됩니다.
발레리나는 그 모든 과정을 견뎌내며,
자신의 몸을 통해 이야기를 전달합니다.
그녀들의 이야기는 관객에게 감동과 영감을 선사합니다.

발레리나의 모습은 예술과 삶이 하나로 융합된 모습입니다.
그녀들의 고된 연습과 헌신, 그리고 무대에서 펼쳐지는 아름다움은
모두에게 큰 감동을 줍니다.
이 책이 발레를 사랑하는 이들에게는 깊은 감동을,
발레를 처음 접하는 이들에게는
새로운 세계에 대한 호기심과 흥미를 불러일으키기를 바랍니다.

그녀들의 열정과 헌신이
이 일러스트북을 통해 더욱 빛나기를 기대하며,
발레의 환상적인 세계로 여러분을 초대합니다.

리본꽃 발레리나
일러스트북

목차

• 발레의 역사와 배경

발레(Ballet)는 유럽의 궁정에서 시작된 고전 무용으로,
그 기원과 발전 과정은 예술과 문화의 변천사를 반영합니다.
발레는 그 정교한 기술과 예술적 표현으로 인해
오늘날까지도 전 세계적으로 사랑받는 공연 예술로 자리 잡고 있습니다.
발레의 역사를 크게 세 시기로 나누어 살펴볼 수 있습니다
기원과 초기 발전, 고전 발레의 확립, 그리고 현대 발레의 발전입니다.

• 기원과 초기 발전

발레의 기원은 15세기 이탈리아 르네상스 시대로 거슬러 올라갑니다.
당시 이탈리아의 궁정에서는 연극, 음악, 춤이
결합된 연회가 자주 열렸으며,
이 연회에서 귀족들이 발레의 초기 형태를 즐겼습니다.
"발레"라는 용어 자체도 이탈리아어 "발로(ballo)"에서 유래하였으며,
이는 춤을 의미합니다.
16세기 프랑스로 전해진 발레는 프랑스 왕실의 후원을 받으며
점차 정교화되었고,
루이 14세의 시기에 특히 번성하였습니다.
루이 14세는 자신도 무용을 즐기며 "태양왕"이라는 별명을 얻었고,
1661년에는 세계 최초의 무용 아카데미인
'왕립 무용 아카데미'(Académie Royale de Danse)를 설립하였습니다.

• 고전 발레의 확립

17세기 후반부터 19세기까지 발레는 더욱 체계화되고,
고전 발레로 발전하게 됩니다.
이 시기에는 프랑스의 장-조르주 노베르(Jean-Georges Noverre)가
중요한 역할을 하였습니다.
노베르는 "발레 드 악션(ballet d'action)"이라는 개념을 도입하여,
스토리와 감정을 중시하는 발레를 추구하였습니다.
이는 단순히 화려한 동작에 그치지 않고,
관객에게 깊은 감동을 주는 발레의 기초가 되었습니다.

19세기에는 러시아에서 고전 발레가 더욱 꽃을 피웠습니다.
마리우스 프티파(Marius Petipa)와 같은 안무가들은
《잠자는 숲속의 미녀》,《호두까기 인형》,《백조의 호수》와 같은
걸작을 남겼습니다.
이 작품들은 화려한 의상과 무대 장치, 고난이도의 기술적 동작,
그리고 드라마틱한 스토리로 인해
오늘날까지도 사랑받고 있습니다.
이 시기의 발레는 "고전 발레"로 분류되며,
엄격한 테크닉과 정교한 발레 동작을 강조합니다.

• 현대 발레의 발전

20세기 들어 발레는 다시 한 번 큰 변화를 겪게 됩니다.
러시아 발레의 거장인 세르게이 디아길레프(Sergei Diaghilev)는
1909년 파리에서 ´발레 뤼스(Ballets Russes)´를 창립하였고,
이는 발레의 새로운 시대를 열었습니다.
발레 뤼스는 전통적인 발레와는 다른
혁신적인 무대 연출과 안무를 도입하였고,
이고르 스트라빈스키(Igor Stravinsky)와 같은
현대 작곡가들의 음악을 사용하여 큰 반향을 일으켰습니다.

또한, 미국에서는 조지 발란신(George Balanchine)이
현대 발레의 발전에 큰 기여를 하였습니다.
발란신은 뉴욕 시티 발레단(New York City Ballet)을 설립하고,
보다 자유롭고 창의적인 스타일의 발레를 추구하였습니다.
그의 작업은 현대 발레의 형식과 표현을 확장시키는 데
큰 역할을 하였습니다.

오늘날 발레는 클래식 발레와 현대 발레로 나뉘어
다양한 형식으로 공연되고 있습니다.
전 세계의 발레단들은 고전 발레 작품을 계속 공연하는 동시에,
새로운 안무와 음악을 통해 발레의 경계를 확장하고 있습니다.
발레는 이제 단순한 궁정 무용을 넘어,
세계인의 사랑을 받는 예술 형식으로 자리매김하고 있습니다.

발레는 그 기원에서부터 현대에 이르기까지
다양한 변화를 겪으며 발전해 왔습니다.
이탈리아 궁정에서 시작된 발레는
프랑스와 러시아를 거치며 정교화되었고,
20세기에는 현대적인 요소가 더해져
더욱 다양하고 풍부한 예술 형태로 진화하였습니다.
오늘날 발레는 전통과 혁신이 공존하는 예술로,
전 세계 관객들에게 감동과 영감을 주고 있습니다.

발레는 오랜 역사와 함께 수많은 걸작들을 탄생시켰습니다.
다음은 발레 역사에서 가장 유명하고 사랑받는
몇 가지 작품들에 대한 설명입니다.

1. 백조의 호수 (Swan Lake)

. 작곡가: 표트르 일리치 차이콥스키
. 초연: 1877년, 모스크바 볼쇼이 극장
. 줄거리: 아름다운 공주 오데트는 악마 로트바르트의 저주로
낮에는 백조로 변하고 밤에만 인간의 모습으로 돌아옵니다.
왕자 지그프리트는 숲에서 백조들을 발견하고
오데트와 사랑에 빠지지만,
로트바르트와 그의 딸 오딜의 음모로 인해 혼란에 빠집니다.
결국, 지그프리트와 오데트는 영원히 함께하기 위해
희생을 선택합니다.
. 특징: 이 작품은 백조 군무의 아름다움과
차이콥스키의 서정적인 음악으로 유명하며,
고전 발레의 대표작 중 하나로 손꼽힙니다.

2. 호두까기 인형 (The Nutcracker)

. 작곡가: 표트르 일리치 차이콥스키
. 초연: 1892년, 상트페테르부르크 마린스키 극장
. 줄거리: 크리스마스 이브에 어린 소녀 클라라가
호두까기 인형을 선물로 받습니다.
밤에 그 인형은 왕자로 변하고,
클라라는 왕자와 함께 마법의 왕국으로 여행을 떠납니다.
그곳에서 여러 환상적인 장면을 목격하며 모험을 겪습니다.
. 특징: 이 작품은 특히 크리스마스 시즌에 많이 공연되며,
차이콥스키의 음악과 화려한 무대 연출로 인해
가족 관객들에게 큰 인기를 끌고 있습니다.

3. 잠자는 숲속의 미녀 (The Sleeping Beauty)

. 작곡가: 표트르 일리치 차이콥스키
. 초연: 1890년, 상트페테르부르크 마린스키 극장
. 줄거리: 마녀 카라보스의 저주로 인해 공주 오로라는
16세 생일에 물레 바늘에 찔려 깊은 잠에 빠집니다.
100년 후, 왕자 데지레가 그녀를 찾아와
키스로 깨어나게 하고, 두 사람은 행복하게 결혼합니다.
. 특징: 이 발레는 화려한 의상, 웅장한 무대 세트,
그리고 차이콥스키의 매혹적인 음악으로
고전 발레의 완벽한 예시로 꼽힙니다.

4. 지젤 (Giselle)

. 작곡가: 아돌프 아당
. 초연: 1841년, 파리 오페라
. 줄거리: 순수한 시골 소녀 지젤은
귀족 알브레히트와 사랑에 빠지지만,
그가 이미 약혼한 사실을 알게 되면서 큰 충격을 받고 죽습니다.
죽은 후, 지젤은 배신당한 처녀들의 영혼인
윌리들이 사는 세계에 들어가게 되는데,
그녀는 알브레히트를 용서하고 그를 윌리들의 복수에서 구합니다.
. 특징: 이 작품은 낭만 발레의 대표작으로,
초자연적인 요소와 인간적인 감정이 조화롭게 어우러져 있습니다.

5. 돈키호테 (Don Quixote)

. 작곡가: 루드비히 밍쿠스
. 초연: 1869년, 모스크바 볼쇼이 극장
. 줄거리: 미겔 데 세르반테스의 소설을 바탕으로 한
이 작품은 사랑에 빠진 키트리와 바실리오의 이야기를 다룹니다.
돈키호테와 그의 종자 산초 판사는 여러 모험을 겪으며 두 연인을 돕습니다.
. 특징: 밝고 경쾌한 분위기와
스페인의 정열적인 춤이 특징이며,
기술적으로 난이도 높은 안무가 많은 작품입니다.

6. 코펠리아 (Coppélia)

. 작곡가: 레오 들리브
. 초연: 1870년, 파리 오페라
. 줄거리: 마법사 코펠리우스가 만든 인형 코펠리아를
사랑하게 된 소녀 스와닐다와 그녀의 연인 프란츠의 이야기를 그립니다.
스와닐다와 프란츠는 코펠리아가 인형임을 알고,
코펠리우스를 속여 행복한 결말을 맞습니다.
. 특징: 유머와 로맨스가 어우러진 밝은 분위기의 발레로,
특히 마임과 연기 요소가 강합니다.

발레는 정교하고 섬세한 동작들로 구성된 고전 무용입니다.
발레 동작들은 각기 다른 테크닉과 스타일을 요구하며,
이를 통해 발레리나는 우아함과 기교를 표현합니다.
주요 발레 동작들을 소개하고 그 특징에 대해 설명하겠습니다.

1. 플리에 (Plié)

. 설명: 무릎을 굽히는 동작으로, 발레의 기본이 되는 동작입니다.
플리에는 크게 두 가지로 나눕니다.
드미 플리에 (Demi Plié): 무릎을 반 정도만 굽히는 동작.
그랑 플리에 (Grand Plié): 무릎을 깊이 굽혀서 완전히 앉는 동작.
. 특징: 플리에는 모든 발레 동작의 시작과 끝에서 많이 사용되며,
다리와 발의 근력을 강화하고 유연성을 기르는 데 도움을 줍니다.

2. 땅듀 (Tendu)

. 설명: 발을 바닥을 미끄러지듯이 뻗는 동작입니다.
발끝이 바닥을 떠나지 않으며, 앞, 옆, 뒤로 수행할 수 있습니다.
. 특징: 발목과 발끝의 유연성을 기르고, 다리의 근력을 강화합니다.
플리에와 함께 가장 기본적인 발레 동작 중 하나입니다.

3. 데가제 (Dégagé)

. 설명: 땅듀와 비슷하지만, 발끝이 바닥에서 살짝 떨어지며
뻗는 동작입니다.
. 특징: 다리의 스피드와 날렵함을 기르는 데 도움을 주며,
발레의 경쾌한 동작들을 수행할 때 많이 사용됩니다.

4. 롱드장 (Rond de Jambe)

. 설명: 발을 원을 그리듯이 움직이는 동작입니다.
롱드장 아 떼르 (Rond de Jambe à Terre): 발끝이 바닥에 닿은 상태로
원을 그리는 동작.
롱드장 앤 레르 (Rond de Jambe en L′air): 공중에서 원을 그리는 동작.
. 특징: 골반의 유연성과 다리의 선을 아름답게 만드는 데 도움을 줍니다.

5. 파세 (Passé)

. 설명: 한쪽 다리를 접어 발끝을 다른 쪽 다리의 무릎 높이로
올리는 동작입니다.
. 특징: 발레리나의 균형 감각과 다리 근육을 강화하는 데 효과적입니다.
흔히 피루엣(회전) 동작에서 사용됩니다.

6. 아라베스크 (Arabesque)

. 설명: 한 다리를 뻗어 뒤로 높이 들어 올리고, 반대쪽 다리로
서 있는 동작입니다.
팔은 다양한 포지션으로 뻗을 수 있습니다.
. 특징: 다리와 몸의 유연성을 기르며, 발레리나의
우아한 선을 강조합니다.

7. 피루엣 (Pirouette)

. 설명: 한 발로 서서 회전하는 동작입니다.
일반적으로 파세 포지션에서 회전합니다.
. 특징: 균형 감각과 회전 기술을 요구하며, 발레리나의 기교를
잘 보여주는 동작입니다.

8. 쥬떼 (Jeté)

. 설명: 한 발에서 다른 발로 점프하는 동작입니다.
공중에서 다리를 뻗는 모습이 특징입니다.
. 특징: 발레리나의 점프력과 다리의 선을 아름답게 보여줍니다.

9. 사테 (Sauté)

. 설명: 두 발로 점프하는 동작입니다.
. 특징: 다양한 발레 동작과 결합되어 사용되며, 발레리나의
점프 기술을 강화합니다.

10. 그랑 바트망 (Grand Battement)

. 설명: 다리를 높은 위치로 빠르게 들어 올렸다가 내리는 동작입니다.
. 특징: 다리의 유연성과 근력을 강화하며, 발레리나의 다리 선을 강조합니다.

11. 아다지오 (Adagio)

. 설명: 느리고 우아한 동작들로 구성된 부분입니다.
. 특징: 발레리나의 균형감, 유연성, 그리고 선을 중요시합니다.
주로 파트너와 함께하는 동작들이 포함됩니다.

12. 알레그로 (Allegro)

. 설명: 빠르고 경쾌한 동작들로 구성된 부분입니다.
. 특징: 점프와 회전 등의 기술적이고 활기찬 동작들이 포함되며,
발레리나의 체력과 기교를 잘 보여줍니다.

발레는 이러한 다양한 동작들을 통해
이야기를 전하고 감정을 표현합니다.
각 동작은 발레리나의 기량과 표현력을 요구하며, 이를 통해
발레리나의 예술성이 드러납니다.

유명한 발레리나들은 그들의 재능과 헌신으로
발레 역사에 깊은 흔적을 남겼습니다.
이들 중 몇 명을 선정하여 그들의 스토리텔링을 설명하겠습니다.

1. 안나 파블로바 (Anna Pavlova)

. 배경과 생애

출생: 1881년 2월 12일, 러시아 상트페테르부르크
사망: 1931년 1월 23일, 네덜란드 헤이그
교육: 상트페테르부르크 제국 발레 학교
경력: 마린스키 극장 발레단, 발레 뤼스

. 주요 업적과 특징

안나 파블로바는 발레 역사상 가장 유명한 발레리나 중 한 명으로 꼽힙니다.
그녀는 어린 시절부터 발레에 대한 열정을 가지고 있었으며,
제국 발레 학교에서 교육을 받았습니다.
파블로바는 1905년 미하일 포킨의 안무로 처음 공연된
"죽음의 백조(Dying Swan)"를 통해 국제적인 명성을 얻었습니다.
이 작품은 그녀의 상징이 되었으며,
그녀의 우아함과 감정을 섬세하게 표현하는 능력을 잘 보여주었습니다.

파블로바는 마린스키 극장을 떠나
디아길레프의 발레 뤼스에 합류했으며,
이후 독립적으로 세계 각국을 순회하며 발레를 공연했습니다.
그녀의 공연은 발레를 전 세계에 알리는 데 큰 역할을 했으며,
발레가 대중화되는 데 기여했습니다.

. 공헌

안나 파블로바는 발레의 전설로 남아 있으며,
그녀의 독창적인 스타일과 예술성은
오늘날까지도 발레리나들에게 큰 영감을 주고 있습니다.
그녀의 이름을 딴 "파블로바 슈즈"는
발레리나의 필수 아이템으로 알려져 있습니다.

2. 마고트 폰테인 (Margot Fonteyn)

. 배경과 생애

출생: 1919년 5월 18일, 영국 리겟
사망: 1991년 2월 21일, 파나마
교육: 로열 발레 학교
경력: 로열 발레단

. 주요 업적과 특징

마고트 폰테인은 영국 로열 발레단의 수석 발레리나로서,
20세기 중반 발레의 황금기를 이끈 인물 중 하나입니다.
그녀는 어린 시절부터 발레 교육을 받았으며, 로열 발레 학교에서 수학했습니다.
폰테인은 1939년 로열 발레단에 입단하여,
"백조의 호수", "잠자는 숲속의 미녀", "지젤" 등 여러 고전 발레 작품에서
주연을 맡아 뛰어난 연기를 선보였습니다.

. 루돌프 누레예프와의 파트너십

폰테인은 1960년대 초반 러시아 발레리노 루돌프 누레예프와의 파트너십을 통해
세계적인 명성을 더욱 공고히 했습니다.
두 사람은 무대 위에서 환상적인 케미스트리를 선보였으며,
그들의 듀엣 공연은 전설적인 무대로 기억됩니다.

. 공헌

마고트 폰테인은 영국 발레의 아이콘으로 남아 있으며,
그녀의 이름은 고전 발레의 우아함과 기술적 완벽함을 상징합니다.
그녀의 기여로 로열 발레단은 세계적인 명성을 얻게 되었습니다.

3. 알리시아 알론소 (Alicia Alonso)

. 배경과 생애

출생: 1920년 12월 21일, 쿠바 하바나
사망: 2019년 10월 17일, 쿠바 하바나
교육: 미국 발레 극장
경력: 쿠바 국립 발레단

. 주요 업적과 특징

알리시아 알론소는 쿠바의 전설적인 발레리나이자 안무가로,
쿠바 국립 발레단을 창립하고 이끌었습니다.
그녀는 어린 시절부터 발레에 관심을 보였으며,
미국에서 발레 교육을 받았습니다.
알론소는 시력 문제에도 불구하고 탁월한 무대 감각과 표현력으로
큰 인정을 받았습니다.

. 대표작

알론소는 "지젤"에서의 연기로 특히 유명합니다.
그녀의 지젤은 깊은 감정 표현과 뛰어난 테크닉으로
발레 팬들에게 큰 감동을 주었습니다.
또한, 그녀는 쿠바 발레단을 세계적인 수준으로 끌어올리는 데
큰 공헌을 했습니다.

. 공헌

알리시아 알론소는 쿠바 발레의 상징으로,
그녀의 헌신과 열정은 많은 후배 발레리나들에게 영감을 주고 있습니다.
그녀의 이름은 발레의 힘과 예술성을 대표하는 이름으로 기억되고 있습니다.

4. 갈리나 울라노바 (Galina Ulanova)

. 배경과 생애

출생: 1910년 1월 8일, 러시아 상트페테르부르크
사망: 1998년 3월 21일, 러시아 모스크바
교육: 레닌그라드 발레 학교
경력: 키로프 발레단, 볼쇼이 발레단

. 주요 업적과 특징

갈리나 울라노바는 20세기 최고의 발레리나 중 한 명으로,
키로프 발레단과 볼쇼이 발레단에서 활동했습니다.
그녀는 어린 시절부터 발레 교육을 받았으며,
레닌그라드 발레 학교를 졸업했습니다.
울라노바는 "지젤", "백조의 호수", "로미오와 줄리엣" 등
여러 고전 발레에서 주연을 맡아 뛰어난 연기를 선보였습니다.

. 특징

울라노바는 뛰어난 기술적 능력과 깊은 감정 표현으로 유명했습니다.
그녀의 춤은 서정적이고 우아하며, 관객들에게 깊은 감동을 주었습니다.

. 공헌

갈리나 울라노바는 러시아 발레의 전설로 남아 있으며,
그녀의 이름은 발레의 아름다움과 예술성을 상징합니다.
그녀의 공연은 오늘날까지도 많은 발레리나들에게 영감을 주고 있습니다.

5. 미하일 바리시니코프 (Mikhail Baryshnikov)

. 배경과 생애

출생: 1948년 1월 27일, 라트비아 리가
교육: 레닌그라드 발레 학교
경력: 키로프 발레단, 미국 발레 극장, 뉴욕 시티 발레단

. 주요 업적과 특징

미하일 바리시니코프는 발레 역사상 가장 뛰어난 남성 발레리노 중 한 명으로,
그의 탁월한 테크닉과 무대 장악력은 많은 이들에게 영감을 주었습니다.
그는 레닌그라드 발레 학교를 졸업한 후
키로프 발레단에서 활동하다 1974년 미국으로 망명하였습니다.

. 대표작

바리시니코프는 "지젤", "돈키호테", "백조의 호수" 등
여러 고전 발레에서 뛰어난 연기를 선보였습니다.
또한, 그는 현대 발레와 컨템포러리 발레에도 깊은 관심을 가지고
다양한 작품에 참여했습니다.

. 공헌

미하일 바리시니코프는 발레의 전설로 남아 있으며,
그의 이름은 발레의 혁신과 예술성을 상징합니다.
그는 미국 발레 극장의 예술 감독으로서
많은 발레리나와 발레리노들에게 큰 영향을 미쳤습니다.

유명한 발레 공연은 역사와 전통 속에서
수많은 관객들에게 사랑받아 왔으며,
그 예술성과 아름다움은 시대를 초월하여 감동을 주고 있습니다.
여기 몇 가지 유명한 발레 공연과 그에 대한 자세한 설명을 하겠습니다.

1. 백조의 호수 (Swan Lake)

. 작곡가: 표트르 일리치 차이콥스키
. 초연: 1877년, 모스크바 볼쇼이 극장

"백조의 호수"는 차이콥스키가 작곡한 4막 발레로,
가장 사랑받는 클래식 발레 중 하나입니다.
이 발레는 순수한 사랑과 배신, 희생에 대한 이야기를 담고 있습니다.
왕자 지그프리트는 그의 생일에 사냥을 나갔다가,
마법에 걸려 백조로 변한 오데트를 만나 사랑에 빠집니다.
오데트와 그녀의 동료 백조들은 낮에는 백조로,
밤에는 인간으로 변하는 저주에 걸려 있습니다.
이 저주는 악당 로트바르트에 의해 걸린 것입니다.
지그프리트는 오데트를 구하기 위해 싸우지만,
로트바르트는 그의 딸 오딜을 오데트로 속여 지그프리트를 유혹합니다.
결국, 지그프리트의 실수로 저주는 풀리지 않고,
지그프리트와 오데트는 호수로 뛰어들어 함께 죽음을 맞이합니다.
그들의 희생으로 인해 저주는 풀리고, 백조들은 자유를 얻게 됩니다.

. 음악: 차이콥스키의 아름답고 서정적인 음악은
"백조의 호수"의 가장 큰 특징 중 하나입니다.
특히, '백조의 주제'는 매우 유명합니다.
. 안무: 레프 이바노프와 마리우스 프티파의 안무는
발레리나들의 우아한 몸짓과 고난도 테크닉을 잘 보여줍니다.
. 의상과 무대 디자인: 화려하고 아름다운 의상과 무대 디자인은
이 작품의 매력을 한층 더해 줍니다.

2. 호두까기 인형 (The Nutcracker)

. 작곡가: 표트르 일리치 차이콥스키
. 초연: 1892년, 상트페테르부르크 마린스키 극장

"호두까기 인형"은 차이콥스키가 작곡한 2막 발레로,
크리스마스 시즌에 자주 공연됩니다.
이야기의 중심은 크리스마스 이브에 열리는 클라라의 가족 파티입니다.
클라라는 호두까기 인형을 선물로 받는데,
밤이 되자 이 인형은 왕자로 변하고, 클라라는 그와 함께 신비한 여행을 떠납니다.
그들은 생쥐 왕과의 전투에서 승리하고,
과자의 나라로 가서 다양한 캐릭터들의 춤을 감상합니다.
이 꿈같은 모험을 통해 클라라는 크리스마스의 마법을 경험하게 됩니다.

. 음악: 차이콥스키의 음악은 각 장면과 캐릭터의 분위기를 잘 살리며,
"Dance of the Sugar Plum Fairy"와 "Waltz of the Flowers"는 특히 유명합니다.
. 안무: 마리우스 프티파와 레프 이바노프의 안무는
발레리나들의 경쾌하고 생동감 넘치는 춤을 잘 보여줍니다.
. 크리스마스 테마: 화려한 무대와 의상, 크리스마스 분위기의 이야기로 인해
가족 관객들에게 인기가 많습니다.

3. 잠자는 숲속의 미녀 (The Sleeping Beauty)

. 작곡가: 표트르 일리치 차이콥스키
. 초연: 1890년, 상트페테르부르크 마린스키 극장

"잠자는 숲속의 미녀"는 차이콥스키가 작곡한 3막 발레로,
동화 '잠자는 숲속의 미녀'를 바탕으로 합니다.
아름다운 오로라 공주는 태어날 때 마녀 카라보스의 저주를 받습니다.
이 저주는 그녀가 16세 생일에 물레 바늘에 찔려 죽는다는 내용입니다.
다행히 요정 릴라쿠드가 이 저주를 완화하여,
오로라는 깊은 잠에 빠지게 됩니다.
100년 후, 왕자 데지레가 오로라를 발견하고
사랑의 키스로 그녀를 깨웁니다.
두 사람은 행복하게 결혼식을 올리며 이야기는 끝이 납니다.

. 음악: 차이콥스키의 음악은 웅장하고 화려하며,
특히 "로즈 아다지오"는 발레리나의 기술을 뽐낼 수 있는 중요한 장면입니다.
. 안무: 마리우스 프티파의 안무는 고난도 테크닉과 우아함을 겸비한 춤으로,
발레리나들에게 큰 도전이 됩니다.
. 동화적 요소: 아름다운 무대 디자인과 의상,
동화 같은 스토리는 관객들에게 큰 감동을 줍니다.

4. 지젤 (Giselle)

. 작곡가: 아돌프 아당
. 초연: 1841년, 파리 오페라

"지젤"은 아돌프 아당이 작곡한 2막 발레로, 로맨틱 발레의 대표작입니다.
시골 소녀 지젤은 귀족인 알브레히트와 사랑에 빠지지만,
그가 이미 약혼한 사실을 알게 됩니다.
충격을 받은 지젤은 미쳐버려 죽고, 그녀의 영혼은
배신당한 처녀들의 영혼인 윌리들 사이에 들어갑니다.
알브레히트는 그녀의 무덤을 찾아오고,
지젤은 윌리들이 그를 죽이려는 것을 막기 위해 그의 곁에 머뭅니다.
결국, 지젤의 사랑과 용서로 인해 알브레히트는 살아남게 되고,
지젤은 평온한 안식을 얻게 됩니다.

. 음악: 아돌프 아당의 음악은 서정적이며,
지젤의 순수함과 비극을 잘 표현합니다.
. 안무: 윌리들의 춤은 차가운 아름다움을 강조하며,
지젤과 알브레히트의 듀엣은 감정이 깊이 묻어납니다.
. 테마: 사랑과 배신, 용서의 주제는 관객들에게 큰 감동을 줍니다.

5. 돈키호테 (Don Quixote)

. 작곡가: 루드비히 밍쿠스
. 초연: 1869년, 모스크바 볼쇼이 극장

"돈키호테"는 루드비히 밍쿠스가 작곡한 5막 발레로,
미겔 데 세르반테스의 소설을 바탕으로 합니다.
사랑에 빠진 키트리와 바실리오의 이야기를 중심으로 전개되며,
돈키호테와 그의 종자 산초 판사의 모험이 함께 그려집니다.
키트리와 바실리오는 여러 가지 장애물을 극복하고,
돈키호테의 도움으로 마침내 행복하게 결혼하게 됩니다.

. 음악: 밍쿠스의 음악은 밝고 경쾌하며,
스페인풍의 리듬과 멜로디가 주를 이룹니다.
. 안무: 기술적으로 난이도 높은 안무가 많이 포함되어 있어,
발레리나와 발레리노의 기량을 뽐낼 수 있는 작품입니다.
. 분위기: 유쾌하고 활기찬 분위기의 이야기와 춤은
관객들에게 큰 즐거움을 줍니다.

6. 로미오와 줄리엣 (Romeo and Juliet)

. 작곡가: 세르게이 프로코피예프
. 초연: 1938년, 체코슬로바키아 브르노

"로미오와 줄리엣"은 세르게이 프로코피예프가 작곡한 3막 발레로,
셰익스피어의 비극적 사랑 이야기를 바탕으로 합니다.
몬태규 가문의 로미오와 캐퓰릿 가문의 줄리엣은 서로 사랑에 빠지지만,
그들의 사랑은 가문 간의 갈등으로 인해 비극적인 결말을 맞습니다.
두 연인은 비극적인 운명 속에서 목숨을 잃지만,
그들의 사랑은 영원히 기억됩니다.

. 음악: 프로코피예프의 음악은 강렬하고 드라마틱하며,
주요 테마는 극적인 긴장감을 높입니다.
. 안무: 발코니 장면, 결투 장면 등 여러 인상적인 장면이 있으며,
로미오와 줄리엣의 듀엣은 특히 아름답습니다.
. 테마: 사랑과 희생, 운명에 대한 이야기는
오늘날까지도 많은 관객들에게 감동을 줍니다.

우리나라의 발레 공연은 꾸준한 발전과 성장을 이루며
세계적으로 인정받고 있습니다.
특히 한국 국립발레단을 비롯한 여러 발레단들이
국내외에서 활발하게 활동하고 있으며,
고전 발레뿐만 아니라 현대 발레에서도 두각을 나타내고 있습니다.
우리나라의 주요 발레 공연과 관련된 내용을 설명하겠습니다.

1. 한국 국립발레단

. 역사 및 배경

한국 국립발레단(Korea National Ballet)은
1962년에 설립되어 한국을 대표하는 발레단으로 자리 잡았습니다.
초창기에는 주로 고전 발레를 중심으로 활동했으나,
시간이 지나면서 현대 발레와 창작 발레에도 힘을 기울이고 있습니다.

. 주요 공연 작품

백조의 호수 (Swan Lake): 한국 국립발레단은
"백조의 호수"를 여러 차례 공연하여 큰 인기를 끌었습니다.
특히 한국적인 요소를 가미한 연출로 주목받기도 했습니다.

지젤 (Giselle): 이 작품 역시 한국 국립발레단의 대표 레퍼토리 중 하나로,
서정적이고 비극적인 스토리가 관객들에게 깊은 인상을 남깁니다.

돈키호테 (Don Quixote): 활기차고 경쾌한 분위기의 이 발레는
국립발레단의 테크닉과 예술성을 잘 보여주는 작품입니다.

2. 유니버설 발레단

. 역사 및 배경

유니버설 발레단(Universal Ballet)은 1984년에 설립되어
한국의 대표적인 민간 발레단으로 성장했습니다.
창단 이래 세계 여러 나라에서 투어를 하며
한국 발레의 위상을 높이고 있습니다.

. 주요 공연 작품

심청 (Shim Chung): 한국 전통 설화를 바탕으로 한 창작 발레로,
유니버설 발레단의 대표작입니다.
이 작품은 한국적인 요소와 발레의 아름다움을
조화롭게 결합하여 큰 인기를 끌었습니다.

로미오와 줄리엣 (Romeo and Juliet): 셰익스피어의 고전 이야기를
발레로 표현한 이 작품은 유니버설 발레단의
기술적 역량과 예술성을 잘 보여줍니다.

호두까기 인형 (The Nutcracker): 매년 크리스마스 시즌에 공연되는
이 작품은 가족 단위 관객들에게 큰 사랑을 받고 있습니다.

3. 세종대왕국제발레단

. 역사 및 배경

세종대왕국제발레단은 2010년에 창단되어
다양한 발레 공연과 교육 프로그램을 통해
발레의 저변 확대에 기여하고 있습니다.
이 발레단은 창작 발레와 고전 발레를 넘나들며
다채로운 공연을 선보이고 있습니다.

. 주요 공연 작품

춘향 (Chun Hyang): 한국 전통 이야기를 발레로 표현한 이 작품은
세종대왕국제발레단의 대표작으로,
한국적 정서를 발레로 아름답게 풀어냈습니다.

라 바야데르 (La Bayadère): 이국적인 분위기와
화려한 무대가 돋보이는 작품으로,
세종대왕국제발레단의 수준 높은 기량을 확인할 수 있습니다.

4. 서울발레시어터

. 역사 및 배경

서울발레시어터(Seoul Ballet Theatre)는 1995년에 설립되어
현대 발레와 창작 발레를 중심으로 활동하는 발레단입니다.
실험적이고 창의적인 작품을 통해 새로운 발레의 지평을 열고 있습니다.

. 주요 공연 작품

이미지 파트 (Image Part): 현대적인 감각의 창작 발레로,
서울발레시어터의 독창성과 예술적 감각을 잘 보여줍니다.

리브레 (Libre): 자유로운 발상을 바탕으로 한 이 작품은
현대 발레의 다양한 가능성을 탐구합니다.

5. 다른 주요 발레단 및 공연

. 광주 시립발레단

광주 시립발레단은 지역 문화 예술의 중심으로서,
다양한 발레 작품을 공연하고 있습니다.
고전 발레부터 현대 발레까지 폭넓은 레퍼토리를 가지고 있습니다.

. 부산 발레시어터

부산 발레시어터는 부산 지역을 중심으로 활발한 활동을 하고 있으며,
교육 프로그램을 통해 발레 인재 양성에도 힘쓰고 있습니다.

국내 발레의 특징 및 발전

전통과 현대의 조화: 한국 발레는 전통적인 고전 발레뿐만 아니라,
한국적 정서를 담은 창작 발레, 그리고 현대 발레에 이르기까지
다양한 스펙트럼을 자랑합니다.

. 국제적 인지도: 한국의 주요 발레단들은
해외 투어와 국제 페스티벌 참가 등을 통해
세계 무대에서도 높은 평가를 받고 있습니다.

. 발레 인재 양성: 다양한 교육 프로그램과 콩쿠르를 통해
젊은 발레 인재들을 발굴하고 육성하고 있으며,
이는 한국 발레의 지속적인 발전에 기여하고 있습니다.

이처럼 한국의 발레 공연은 다양한 작품과 높은 예술성을 바탕으로
관객들에게 큰 감동을 주고 있습니다.
한국의 발레단들은 전통과 현대를 아우르며,
국내외에서 활발하게 활동하며 그 예술적 가치를 인정받고 있습니다.

발레는 단순히 아름다운 공연 예술을 넘어,
다양한 힐링 효과와 가치를 제공합니다.
이는 신체적 건강, 정신적 안정, 사회적 교류 등
여러 측면에서 두드러지며, 다음과 같은 여러 요소로 설명할 수 있습니다.

1. 신체적 건강

발레는 신체 전반에 걸쳐 다양한 이점을 제공합니다.

. 유연성 및 근력 강화

유연성: 발레는 스트레칭과 다양한 움직임을 통해 유연성을 향상시킵니다.
정기적인 발레 연습은 관절의 움직임을 원활하게 하고,
근육의 탄력을 증가시킵니다.

근력 강화: 발레는 특히 하체 근력 강화에 효과적입니다.
플리에, 점프, 리프트와 같은 동작은
다리와 발목 근육을 강화시키고, 코어 근육도 강화됩니다.

. 균형 및 자세 개선

균형 감각: 발레의 다양한 동작은 균형 감각을 향상시킵니다.
이는 일상생활에서도 넘어지거나 부상을 방지하는 데 도움을 줍니다.

자세 교정: 발레는 몸의 정렬을 중요시하기 때문에,
올바른 자세를 유지하는 습관을 길러줍니다.
이는 척추 건강에도 긍정적인 영향을 미칩니다.

. 심혈관 건강

발레의 반복적인 동작과 유산소 운동은 심혈관 건강을 증진시킵니다.
이는 혈액 순환을 개선하고 심장 기능을 강화하며,
전반적인 체력을 향상시킵니다.

2. 정신적 안정

. 스트레스 감소

마음 챙김: 발레는 집중력과 주의력을 요구하기 때문에,
연습하는 동안 일상적인 걱정과 스트레스로부터 벗어나게 해줍니다.
이는 명상과 비슷한 효과를 가져오며, 마음의 평온을 제공합니다.

엔도르핀 분비: 신체 활동은 엔도르핀이라는
행복 호르몬의 분비를 촉진합니다.
이는 기분을 좋게 하고 스트레스를 줄이는 데 도움을 줍니다.

. 자기 표현 및 창의성

감정 표현: 발레는 신체를 통해 감정을 표현하는 예술 형태입니다.
춤을 통해 기쁨, 슬픔, 분노 등의 감정을 자유롭게 표현할 수 있으며,
이는 감정적 해소에 도움을 줍니다.

창의성 개발: 발레는 창의적인 사고를 촉진합니다.
다양한 안무와 음악에 맞춰 자신만의 해석을 더하는 과정은
창의성을 높이고, 예술적 영감을 줍니다.

3. 사회적 교류 및 소속감

. 공동체 의식

발레 수업은 협동과 팀워크를 강조합니다.
그룹 안무와 공연은 서로의 움직임에 맞추어 협력하는 과정을 통해
강한 공동체 의식을 형성합니다.

. 소셜 네트워크

발레 클래스나 공연을 통해 새로운 사람들을 만나고
친구를 사귈 수 있습니다.
이는 사회적 네트워크를 확장하고, 사회적 지지를 받는 환경을 제공합니다.

4. 자기계발 및 성취감

. 목표 설정 및 성취

발레는 지속적인 훈련과 연습을 통해 기술을 향상시킵니다.
단계별 목표를 설정하고 이를 달성하는 과정은 성취감을 줍니다.
이는 자기효능감을 높이고, 자신감을 증진시킵니다.

. 인내심 및 자기훈련

발레는 엄격한 훈련과 반복적인 연습이 필요합니다.
이는 인내심과 자기훈련을 기르는 데 도움을 줍니다.
이러한 과정은 일상생활에서도 긍정적인 영향을 미칩니다.

5. 문화적 및 예술적 가치

. 문화적 이해 및 감상

발레는 다양한 문화적 배경과 역사를 담고 있습니다.
발레를 통해 다양한 시대와 문화의 예술을 이해하고 감상할 수 있으며,
이는 문화적 교양을 넓히는 데 도움을 줍니다.

. 예술적 감수성

발레는 음악, 무대 디자인, 의상 등
다양한 예술 요소와 결합되어 있습니다.
발레를 감상하고 참여하는 과정은 예술적 감수성을 높이고,
미적 경험을 풍부하게 합니다.

6. 치료적 접근

. 무용 치료

발레는 무용 치료의 한 형태로 사용되기도 합니다.
정신적, 정서적 문제를 가진 사람들에게 발레는
치료적 도구로 사용될 수 있으며, 이를 통해 긍정적인 변화를 유도합니다.

. 재활 치료

발레 동작은 특정 신체 부위의 기능 회복을 돕는
재활 치료로 사용될 수 있습니다.
특히, 균형과 근력 강화에 초점을 맞춘 동작은 재활 과정에서 유용합니다.

발레는 단순한 무용을 넘어
신체적 건강과 정신적 힐링을 동시에 제공하는 예술입니다.
정교한 동작과 음악이 결합된 발레는
우리의 몸을 강하게 하고, 스트레스와 불안을 완화시킵니다.

집중력과 인내심을 기르고 자존감을 높여주는
발레는 정신적 안정을 가져다줍니다.
또한, 발레 공연은 관객에게 깊은 감동을 주며 예술적 감수성을 높입니다.
함께 연습하고 공연을 준비하는 과정에서
공동체 의식을 강화하며 사회적 유대감을 형성합니다.

이러한 다각적인 혜택 덕분에
발레는 우리의 삶에 큰 가치를 더해줍니다.
발레의 아름다움과 혜택을 경험하며,
우리는 신체적, 정신적, 예술적으로 더욱 성장할 수 있습니다.

리본꽃 발레리나 일러스트북

발 행 | 2024년 7월 25일

저 자 | 정유영

펴낸이 | 한건희

펴낸곳 | 주식회사 부크크

출판사등록 | 2014.07.15.(제2014-16호)

주 소 | 서울특별시 금천구 가산디지털1로 119

SK트윈타워 A동 305호

전 화 | 1670-8316

이메일 | INFO@BOOKK.CO.KR

ISBN | 979-11-410-9716-5

WWW.BOOKK.CO.KR